IGNE NATURA RENOVATUR INTEGRA

I.N.R.I

LE TRIANGLE SECRET

TOME I
Le Suaire

DIDIER CONVARD

DENIS FALQUE - PIERRE WACHS

Couleurs : PAUL

Couverture : ANDRÉ JUILLARD

Glénat

I.N.R.I.

à paraître

LA LISTE ROUGE
AVRIL 2005

LE TOMBEAU D'ORIENT
AVRIL 2006

LA RESURRECTION
AVRIL 2007

www.glenat.com

© 2004, Éditions Glénat - BP 177 - 38008 GRENOBLE CEDEX
Tous droits réservés pour tous pays
Dépôt légal avril 2004.
Achevé d'imprimer en France en novembre 2004.
Impression et reliure : Pollina s.a., 85400 LUÇON - N° L95165

DE NOS JOURS, AU VATICAN...

LE CONCLAVE NOUS EST ACQUIS, MONTESPA, J'EN AI LA CONFIRMATION. BIEN SÛR, NOUS NE PARVIENDRONS PAS À FAIRE INFLÉCHIR LA VOLONTÉ DE LA QUINZAINE D'IRRÉDUCTIBLES QUI DISPERSERONT LEURS VOIX...

JE SAIS. VOUS PARLEZ DES PROCHES DU CARDINAL DE GUILLIO QUI PLEURENT SA MORT TOUT AUTANT QUE CELLE DU SAINT-PÈRE !

ILS POSERONT TOUS BIENTÔT LEURS LÈVRES SUR VOTRE ANNEAU AVEC UNE DÉFÉRENCE QUI N'AURA D'ÉGALE QUE LEUR SOUMISSION. PEU IMPORTE QUE VOUS NE VOUS FASSIEZ PAS AIMER D'EUX...

OUI... C'EST CERTAIN, ILS NE M'AIMERONT JAMAIS. ILS ME CRAINDRONT ET JE M'EN ACCOMMODERAI.

CLIC

MAIS JE FERAI EN SORTE QUE L'ÉGLISE SOIT ATTENTIVE À TOUS. L'ÉGLISE SERA DE NOUVEAU FORTE ET AGIRA ENFIN SANS CETTE MENACE QU'ELLE A ÉCARTÉE.

NOUS EFFACERONS LA MOINDRE TRACE DE L'ENTREPRISE QUE NOUS AVONS MENÉE CONTRE LA LOGE PREMIÈRE...

... CONTRE MARTIN HERTZ ET SES AMIS ! CE TEMPS EST RÉVOLU... NOUS AVONS FAIT PLACE NETTE DANS LA FORÊT D'ORIENT ET CELA NOUS A COÛTÉ NOTRE ÂME.

L'AVENIR DU SAINT-SIÈGE NOUS EN SERA RECONNAISSANT.

ALORS, MACCHI ?

NOUS AVANÇONS, MONSEIGNEUR. LENTEMENT... LE MANUSCRIT A BEAUCOUP SOUFFERT.

NÉANMOINS, IL N'Y A AUCUN DOUTE : C'EST BIEN LE CHRIST QUI A ÉCRIT CES LIGNES. LE PEU QUE NOUS EN AVONS TRADUIT CONFIRME LA THÈSE DE L'IMPOSTURE DE THOMAS.

ET LE CORPS ?

LE CORPS... OUI, LE CORPS DE JÉSUS ! NOUS L'EXAMINONS ET...

SUIVEZ-MOI.

JE PRÉSUME QUE VOUS AVEZ ENTREPRIS LA DATATION AU CARBONE 14 ET L'ANALYSE MOLÉCULAIRE DES FIBRES DU LINCEUL. ASSURONS-NOUS QUE LA DÉPOUILLE ET LE MANUSCRIT SONT BIEN DE LA MÊME ÉPOQUE.

CELA, NOUS EN AVONS LA CERTITUDE. CE QUI A ÉTÉ DÉCOUVERT EST... TRÈS ÉTRANGE !

ÉTRANGE ?

JE PRÉFÈRE QUE VOUS VOYIEZ PAR VOUS-MÊME...

J'AI CONFIÉ LE CORPS À NOS MEILLEURS SCIENTIFIQUES. CE SONT TOUS DES DOMINICAINS QUI TRAVAILLENT SOUS LA FÉRULE DU PÈRE LENVOÏSE.

UN ÉMINENT SPÉCIALISTE DES RELIQUES, EN EFFET.

LENVOÏSE A RECENSÉ LES AUTHENTIQUES TIBIAS OU ORTEILS DE LA PLUPART DES SAINTS CONTENUS DANS LES CHÂSSES DES ÉGLISES D'EUROPE !

APPROCHEZ... VENEZ VOIR, MESSEIGNEURS. VENEZ...

OUI ?

QUELQUE CHOSE NOUS INTRIGUE... NOUS AVONS ÉTÉ ALERTÉS IMMÉDIATEMENT PAR UN EXAMEN VISUEL QUE LES PREMIERS DÉCRYPTAGES BIO-LOGIQUES ET LES ÉTUDES A.D.N. SEMBLENT CONFIRMER.

5

UN PHÉNOMÈNE SINGULIER ! UNE INHABITUELLE ÉLASTICITÉ DE LA PEAU, DE SA TEXTURE ! CERTES, LA CHAIR ET LES VISCÈRES SE SONT DÉGRADÉS, MAIS...

... LE PROCESSUS DE DÉCOMPOSITION NE SEMBLE PAS RÉPONDRE AUX PRINCIPES DES LOIS NATURELLES...

EXPLIQUEZ-VOUS, LENVOISE ! VOUS ÊTES EN TRAIN D'ESSAYER DE NOUS DIRE QUE...

UNE ACTIVITÉ DEMEURE DANS CE CORPS, MONSEIGNEUR ! LA VIE NE L'A PAS RÉELLEMENT ABANDONNÉ. ENFIN, DISONS QU'À SA FAÇON, LA VIE, D'UNE MANIÈRE INFINIMENT SUBTILE, ENTRETIENT TOUJOURS QUELQUES FONCTIONS ESSENTIELLES AU TRAVERS DES FIBRES DE CETTE DÉPOUILLE.

MAIS C'EST IMPOSSIBLE !

REGARDEZ, C'EST DU SANG ! CES VAISSEAUX CAPILLAIRES CHARRIENT DES LEUCOCYTES ET DES PLAQUETTES. LE PLASMA EST TRÈS ÉPAIS, PRESQUE FIGÉ. NÉANMOINS, IL EST INDÉNIABLE QU'IL EST EN ACTIVITÉ, SI RALENTIE SOIT ELLE.

VOUS LE SAVIEZ, MACCHI, POURQUOI NE PAS M'EN AVOIR PARLÉ PLUS TÔT ?

IL NOUS FALLAIT FAIRE LA PREUVE DE CETTE DÉCOUVERTE, MONSEIGNEUR.

COMPRENDRE QUE LES SÉRUMS, ALBUMINES ET GLOBULINES, LA CRÉATINE ET TOUS LES ÉLÉMENTS MINÉRAUX QUE NOUS AVONS RÉVÉLÉS N'ÉTAIENT PAS DES RÉSIDUS INERTES.

L'OXYGÈNE CIRCULE TOUJOURS DANS CETTE MATIÈRE QUI EST ENCORE ORGANIQUE !

CE QUI SIGNIFIE QUE...

"INRI"... LA LÉGENDE DES TEMPLIERS ! CE QU'HUGUES DE PAYNS A ÉTÉ CHERCHER À JÉRUSALEM AVEC LE COMTE DE CHAMPAGNE.

OUI, LA LÉGENDE DES CINQ CHEVALIERS !

UNE FABLE, MONSEIGNEUR...

PLUS MAINTENANT ! MOSÈLE S'ÉTAIT MIS EN QUÊTE DE TROUVER LE TOMBEAU DU CHRIST, IL PENSAIT QUE C'ÉTAIT LÀ LE SEUL SECRET DES TEMPLIERS ET DE LA LOGE PREMIÈRE. IL NE POUVAIT PAS SE DOUTER...

POURSUIVEZ, LENVOISE. PERCEZ LE MYSTÈRE DE CETTE "NON-MORT".

QUANT À VOUS, MACCHI, HÂTEZ-VOUS DE TRADUIRE LES MÉMOIRES DE JÉSUS.

VOUS PENSEZ QUE NOUS Y TROUVERONS LA SOLUTION ?

LÀ ET AILLEURS... CETTE FOIS, CE N'EST PLUS DIEU QUE NOUS SERVONS, C'EST LA SCIENCE ! MAIS PEUT-ÊTRE EST-CE LA MÊME CHOSE ?

COMMENT SE RÉSOUDRE À ACCEPTER UN TEL PRODIGE ?!...

PRONONCEZ LE MOT, ROZERRO : UN MIRACLE ! LES SAINTES ÉCRITURES NE NOUS ONT-ELLES PAS AFFIRMÉ QUE LE CHRIST AVAIT VAINCU LA MORT ?

VOUS ÊTES BIEN PLUS SAVANT QUE MOI, MONSEIGNEUR. ET VOUS CONNAISSEZ DU PASSÉ CERTAINS MYSTÈRES QUI M'EFFRAIERAIENT SI VOUS ME LES CONFIIEZ... CEPENDANT, NE VOUS MOQUEZ PAS AINSI DE MOI.

JE NE ME MOQUE PAS, MON AMI.

JE PLAISANTAIS SEULEMENT EN PENSANT QUE TOUT CE QUI A ÉTÉ ÉCRIT ÉTAIT VRAI ! CE SONT SIMPLEMENT LES HOMMES QUI N'ONT PAS SU LIRE LES TEXTES QUE LE TEMPS A JUSTE LÉGÈREMENT BROUILLÉS.

MONSEIGNEUR MONTESPA, VOUS M'AVEZ PARU PEU SURPRIS DEVANT LA RÉVÉLATION QUE LE PÈRE LENVOISE VOUS A FAITE.

QU'EN DÉDUISEZ-VOUS, MACCHI ?

QUE SANS DOUTE VOUS VOUS Y ATTENDIEZ, OU QUE VOUS L'ESPÉRIEZ !

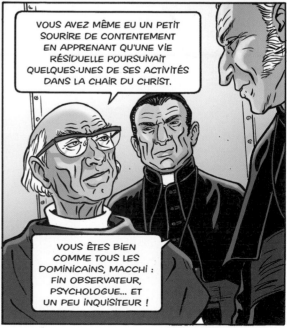

VOUS AVEZ MÊME EU UN PETIT SOURIRE DE CONTENTEMENT EN APPRENANT QU'UNE VIE RÉSIDUELLE POURSUIVAIT QUELQUES-UNES DE SES ACTIVITÉS DANS LA CHAIR DU CHRIST.

VOUS ÊTES BIEN COMME TOUS LES DOMINICAINS, MACCHI : FIN OBSERVATEUR, PSYCHOLOGUE... ET UN PEU INQUISITEUR !

JE COMPTE SUR VOUS POUR FAIRE PARLER LE TESTAMENT DE NOTRE SEIGNEUR JÉSUS-CHRIST DANS LES PLUS BREFS DÉLAIS. ET GARDONS-NOUS D'ÉBRUITER QUOI QUE CE SOIT À PROPOS DE CE QUE NOUS SAVONS ACTUELLEMENT...

LA DISCRÉTION EST AUSSI UNE QUALITÉ EN VIGUEUR CHEZ LES DOMINICAINS, MONSEIGNEUR.

NON ! NON !

VOUS... VOUS N'EXISTEZ PAS ! CE N'EST PAS POSSI...

AAAHHH!!

C'EST... C'EST IMPOSSIBLE... VOUS... VOUS NE POUVEZ PAS... ÊTRE LUI ! QUI ?... QUI ÊTES-VOUS ?

AU SECOURS ! À L'AIDE !

VOUS AVEZ VOTRE PORTABLE, MACCHI ? APPELEZ VITE ! ... IL LUI FAUT DES SOINS OU IL VA SE VIDER DE SON SANG !

MON DIEU ! QUI A BIEN PU COMMETTRE UNE TELLE HORREUR ?...

SUR SON FRONT ?...

C'EST SON AGRESSEUR. C'EST QUI A TRACÉ CELA.

QU... QUEL CHIFFRE ? LE 5 ?... C'EST CELA ? ET UNE CROIX ?

OUI, MONSEIGNEUR. COMMENT SAVEZ-VOUS ?

IL... IL EST VENU CHERCHER LA... LA BAGUE ! LA CINQUIÈME !

QUI, MONSEIGNEUR ? DE QUI PARLEZ-VOUS ? VOUS LE CONNAISSEZ ?...

QUE JE PAYE CHER LES... LES FAUTES DU PASSÉ ! DIEU, QUE LA PUNITION EST... EST LOURDE !

Le Monde

FONDATEUR : Hubert Beuve-Méry – DIRECTEUR : Jean-Marie Colombani

MERCREDI 22 OCTOBRE 20..

Sanglante agression au Vatican

LE CARDINAL MONTESPA a été sauvagement attaqué mardi vers 22 heures, alors qu'il se promenait dans les jardins du Vatican en compagnie de Mgr Rozzero. Un individu, dont on ignore l'identité, vêtu d'une houppelande sombre, s'est jeté sur les deux hommes, a renversé Mgr Rozzero pour se précipiter sur Mgr Montespa, à qui il a tranché la main droite à l'aide d'une hache. Le déséquilibré a pris la fuite en emportant le membre sectionné de sa victime. Il avait préalablement utilisé le propre sang du blessé pour tracer sur le front de celui-ci une croix et le chiffre 5.

Un communiqué du Vatican mentionnait ce matin que les jours du cardinal n'étaient plus en danger malgré un problème post-opératoire majeur.

La personnalité même du cardinal Montespa donne à cet étrange et singulier fait divers une importance particulière, dans cette période de deuil au Saint-Siège. D'autant plus que le nom du cardinal a souvent été cité pour une possible succession du Saint-Père. À la fois homme de l'ombre et homme d'action, le cardinal Montespa est une figure emblématique de la curie romaine, qu'il a marquée tout au long de son apostolat par son indéniable volonté de rénover l'Église, de l'ancrer dans son époque, se heurtant d'ailleurs ouvertement à une politique papale qu'il qualifiait parfois de rétrograde.

Mais si Jean XXIV et Mgr Montespa ne cachaient pas leurs désaccords, ils affichaient ostensiblement leur profonde amitié et le respect mutuel qui les unissait.

Quelle signification donner au geste de l'agresseur du cardinal dans l'enceinte même du Vatican ? Pourquoi cette main tranchée ? Autant de questions auxquelles une enquête rapidement ouverte devra répondre dans les plus brefs délais.

La grave blessure et l'état de santé fragilisé de Mgr Montespa retarderont-ils la réunion du conclave qui doit décider de l'élection du prochain pape ?

p. 11
p. 13

os à Paris
0,89

Disparition du Professeur Mosèle

L'énigme concernant la disparition de Didier Mosèle ne cesse d'inquiéter les enquêteurs. Le chercheur est introuvable depuis une semaine sans vie à son entourage. Le chercheur est introuvable depuis une semaine sans signe de vie à son entourage. A la fondation Meyer où il dirigeait le service de recherche des manuscrits anciens, ses proches collaborateurs affirment que Didier Mosèle se sentait menacé, sans pour autant donner plus de détails quant à la nature des menaces.

Rappelons que le Pr. Marlane, le principal adjoint de Didier Mosèle, avait été découvert sans vie dans une chambre d'hôtel, il y a plusieurs semaines. Tous laissait à prouver que le Pr. Marlane s'était suicidé en ingérant des barbituriques.

La justice pourrait demander une ouverture d'enquête sur les conditions de cette disparition, suite au meurtre de Norbert Souffir, qui travaillait dans la même équipe que celle de Didier Mosèle, ainsi que

la découverte, mercredi dernier, dans un terrain vague près de Troyes, des corps de Madame Josiane Marlane et de son beau-père René Marlane, tués par arme à feu. Le juge Lewinsky que nous avons interrogé hier à l'in-tention de... ...acher toutes ces affaires.

L'EXPRESS

SEMAINE DU ...

Enquête dans les coulisses du Vatican

Le mystère Montespa

Le Point

...fr Hebdomadaire d'information

Pourquoi le "tueur à la hache" s'est-il attaqué au puissant Cardinal Montespa?

---

nara, tous les chemins mènent à Rome

reste intact depuis sa construction au XIXe siècle.

L'OSSERVATORE ROMANO

GIORNALE QUOTIDIANO • POLITICO RELIGIOSO

Direzione, Redazione e Amministrazione: Via del Pellegrino - 00120 CITTÀ DEL VATICANO

DIEU ! ON ÉGORGE MON ÉPOUX, LÀ-HAUT ! ON TRUCIDE MON ARCIS...

AAAAAHHH !!!!

PLUS RIEN ! TROP DE SILENCE, D'UN COUP...

ET CE FROID ! UNE FENÊTRE A ÉTÉ OUVERTE...

ARCIS, MON CHÉRI !...

MON DIEU !! ON LUI A PRIS LA MAIN DROITE ?!...

CES SIGNES SUR SON FRONT... MAIS POURQUOI ?!

ET SI LE TUEUR ÉTAIT ENCORE...

... DANS LA MAISON ?

À L'AIDE ! AU CRIME !

À MOI !! POUR L'AMOUR DE DIEU !

C'EST TOI, HÉLÈNE, QUI FAIT TOUT CE SABBAT ?

ARCIS A ÉTÉ MASSACRÉ DANS SON BUREAU !

AVONS-NOUS RÉELLEMENT BESOIN DE L'APPUI DES CHAMPENOIS ? LEUR COMTE HUGUES EST TROP RICHE HOMME POUR S'INTÉRESSER À DES SOLDATS DU CHRIST TELS QUE NOUS !

IL NOUS FAUDRA CEPENDANT LUI FAIRE BONNE FIGURE, SIRE BAUDOUIN.

UNE DÉLÉGATION L'ATTEND À ASCALON DEPUIS PLUS D'UNE SEMAINE.

JE CRAINS QU'HUGUES ET SES COMPAGNONS NE VIENNENT À JÉRUSALEM QUE POUR SATISFAIRE À LA MODE DES GENS AVISÉS DE PLAIRE À DIEU...

IL ARRIVE FLANQUÉ DU CHEVALIER DE PAYNS DONT J'AI ENTENDU PARFOIS PARLER.

MOI AUSSI ! ET L'ON FAIT GRAND MYSTÈRE AUTOUR DE CE SINGULIER PERSONNAGE DONT HUGUES, À CE QU'IL PARAÎT, NE SE SÉPARE GUÈRE.

AU POINT QU'ON DIT QU'ILS SERAIENT DEUX FRÈRES... ENFIN, PAYNS SERAIT UN BÂTARD DU COMTE THIBAUD QUI N'AURAIT RECONNU QU'HUGUES POUR HÉRITIER.

SOIT, NOUS COMPOSERONS AVEC CES GENS-LÀ. APRÈS TOUT, LE COMTE DE CHAMPAGNE EST L'ÉPOUX DE CONSTANCE, LA FILLE DU ROI PHILIPPE... IL NOUS SERA PEUT-ÊTRE UTILE !

MA FOI, SI NOUS PARVENONS À DÉFENDRE NOTRE CAUSE, NOUS POURRIONS LUI DEMANDER QUELQUES BIENFAITS !

NOTRE GARNISON SUBIT D'INCESSANTS ASSAUTS DE BANDES SARRASINES... HOMMES, ARMES ET VIVRES SERAIENT LES BIENVENUS.

BIEN SÛR. NOUS SOMMES L'ARMÉE DE DIEU... UNE TELLE ARMÉE NE DOIT PAS ÊTRE POUILLEUSE !

OUI, MONSEIGNEUR...

SIRE...

VEUILLEZ M'EXCUSER, MES AMIS, L'ÉVÊQUE, DONT NOUS APPRÉCIONS TOUS LA DISCRÉTION, SOUHAITE S'ENTRETENIR AVEC MOI EN PRIVÉ. CONTINUEZ DE CONSULTER LES DERNIERS RELEVÉS DE NOS ARCHITECTES EN M'ATTENDANT.

VOUS NE VOUS DÉPARTIREZ DONC JAMAIS DE VOS AIRS DE CONSPIRATEUR, BUCELIN ? J'IMAGINE DE QUEL SUJET VOUS ALLEZ ENCORE M'ENTRETENIR.

NOTRE MISSION, SIRE...

NOTRE VÉRITABLE MISSION ! L'ENTREPRISE SECRÈTE QUE CACHE CETTE CROISADE...

JE FAIS TOUT POUR M'EN ACQUITTER ET VOUS POURREZ EN RENDRE COMPTE AU PAPE. J'AI REPRIS AVEC ZÈLE L'ENQUÊTE DE MON REGRETTÉ FRÈRE GODEFROY.

JE N'AI AUCUN REPROCHE À VOUS ADRESSER, SIRE. RIEN N'A TRANSPIRÉ DE NOTRE OPÉRATION. LE SAINT SÉPULCRE DÉLIVRÉ DEMEURE UN LEURRE IDÉAL TANDIS QUE NOUS CHERCHONS LE TOMBEAU DE L'IMPOSTEUR.

JE DEVINE VOTRE HÂTE À LE TROUVER, MAIS NOS OUVRIERS CREUSENT SANS CESSE...

... ET JE ME DEMANDE PARFOIS SI LE SECRET DONT J'AI HÉRITÉ N'EST PAS UN MYTHE ! VOS CLERCS POURRAIENT S'ÊTRE TROMPÉS...

NON, BAUDOUIN, NON ! L'ÉGLISE DOIT IMPÉRATIVEMENT DÉCOUVRIR LE TOMBEAU ET FAIRE DISPARAÎTRE LE CORPS QUI S'Y TROUVE. VOULEZ-VOUS QUE LES FONDEMENTS MÊMES DE LA CHRÉTIENTÉ SOIENT RÉDUITS EN POUSSIÈRE ?

LÀ, QUELQUE PART DANS JÉRUSALEM, REPOSE UN CADAVRE PORTANT LES MARQUES DE LA CRUCIFIXION. LES RESTES DE THOMAS QUI A SUBI LE SUPPLICE À LA PLACE DE SON FRÈRE JÉSUS !

COMME J'AURAIS AIMÉ NE JAMAIS ÊTRE INITIÉ DE CE SAVOIR !

JE VOULAIS VOUS DIRE... CE SONT SANS DOUTE LES CHAMPENOIS QUE NOUS ATTENDONS QUI NOUS MÈNERONT À LA TOMBE MAUDITE.

PAR MON ÂME ! ET COMMENT ?

JE VAIS VOUS EXPLIQUER... JE DEMANDE À ÊTRE INFORMÉ DE LEURS MOINDRES FAITS ET GESTES DÈS QU'ILS SERONT DANS LA VILLE.

AH, C'EST CELA ! ILS SERAIENT DES ESPIONS, N'EST-CE PAS ?

QUE CRAINDRAIT VRAIMENT NOTRE SAINTE MÈRE L'ÉGLISE SI UN INCONNU DÉCOUVRAIT LA TOMBE DE THOMAS ? NE M'AVEZ-VOUS PAS TOUT DIT, MONSEIGNEUR ?

HMM... VOUS DEVEZ SAVOIR, EN EFFET...

THOMAS AURAIT PARTAGÉ SA TOMBE AVEC... AVEC SON FRÈRE JÉSUS QUI SE SERAIT CACHÉ DES ROMAINS PENDANT TROIS JOURS DANS LES TÉNÈBRES DU SÉPULCRE !

LE CHRIST SERAIT RESTÉ AVEC LE MORT ?

MAIS CELA NE CHANGE RIEN À NOTRE AFFAIRE ! À MOINS QUE...?

À MOINS QUE LE CHRIST AIT LAISSÉ UNE TRACE DE SON EXISTENCE... QUELQUE CHOSE QUI, S'IL ÉTAIT DÉCOUVERT, TÉMOIGNERAIT D'UNE VÉRITÉ QUI METTRAIT L'ÉGLISE EN PÉRIL

JE COMPRENDS, UNE PREUVE SUPPLÉMENTAIRE QU'IL NOUS FAUDRA SOUSTRAIRE AU REGARD DES PROFANES !

TOUT EFFACER ! TOUT ! ET BRÛLER LA DÉPOUILLE DU CADAVRE DE THOMAS.

POUR LE MONDE CHRÉTIEN, JÉSUS EST MORT ET RESSUSCITÉ. IL EST PASSÉ DE L'OMBRE À LA LUMIÈRE PARCE QU'IL ÉTAIT FILS DE DIEU NÉ D'UNE IMMACULÉE CONCEPTION. RIEN NE DOIT ÊTRE ÉCRIT AUTREMENT !

ET LES CHAMPENOIS ? QUELS RÔLES JOUENT-ILS DONC ?

ILS SE DISENT HÉRITIERS D'UNE ANTIQUE TRADITION, LÉGATAIRES DU CHRIST ! MES CLERCS AFFIRMENT QU'ILS SONT EN POSSESSION D'INFORMATIONS QUI LES MÈNERAIENT DIRECTEMENT À LA TOMBE MAUDITE.

LE FEU PAPE URBAIN II, ORIGINAIRE DE CHAMPAGNE, AVAIT RÉCOLTÉ AUPRÈS D'EUX QUELQUES INDISCRÉTIONS ET AVAIT CRU, EN LANÇANT SA CROISADE, QU'IL TROUVERAIT SANS PEINE LE LIEU OÙ THOMAS ÉTAIT ENSEVELI, ÉLIMINANT DE LA SORTE LES INDICES QUI DÉSTABILISERAIENT LA CHRÉTIENTÉ.

NOUS PENSIONS QUE C'ÉTAIT ICI.

MES INGÉNIEURS N'ONT TROUVÉ QUE QUELQUES GALERIES EFFONDRÉES. LES VESTIGES DE L'ANCIEN TEMPLE DE SALOMON...

LE COMTE HUGUES DE CHAMPAGNE ET LE CHEVALIER DE PAYNS TRAVAILLERONT POUR NOUS ! ILS VIENNENT EN TERRE SAINTE POUR NOUS EMPÊCHER DE METTRE LA MAIN SUR CE QUE LE CHRIST A LAISSÉ DANS LA TOMBE DE THOMAS.

DE QUOI S'AGIT-IL, MONSEIGNEUR ?

CELA A RAPPORT AU SUAIRE DE L'IMPOSTEUR !

SON SUAIRE ? UN VULGAIRE MORCEAU DE TISSU DANS LEQUEL THOMAS A POURRI !

19

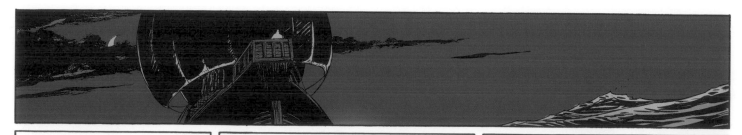

HOULE, ROULIS, TANGAGE... COMMENT PEUT-ON SUPPORTER UN TEL BRANLE ?

EH BIEN, GEOFFROY... ON N'ATTEND PLUS QUE TOI ! LE COMTE S'IMPATIENTAIT.

JE VIENS, BASILE.

IL A FALLU QUE JE LIBÈRE MON ESTOMAC PAR-DESSUS LE BASTINGAGE. DÉSOLÉ !

MON PAUVRE AMI, TU N'AS PAS CESSÉ DE CRACHER TA BILE À LA MER DEPUIS QUE NOUS SOMMES MONTÉS SUR CE NAVIRE.

VOUS VOUS ÊTES ASSURÉS QU'IL N'Y A PERSONNE DANS LA COURSIVE ?

LA PLUPART DES PÈLERINS DORMENT ET LES MARINS DE VEILLE SONT AUX MANŒUVRES.

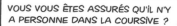

DANS CE CAS, UNISSONS-NOUS, FRÈRES. PUISQU'IL EST L'HEURE ET QUE NOUS AVONS L'ÂGE, OUVRONS NOS TRAVAUX...

À LA GLOIRE DU PREMIER ! POUR LA LUMIÈRE DE SA PAROLE ! QU'INRI NOUS ILLUMINE !

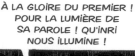

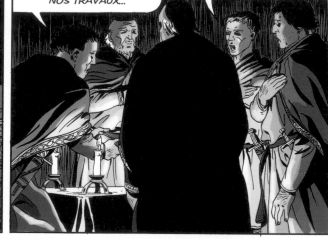

IGNE NATURA RENOVATUR INTEGRA !

PAR LE TRIANGLE, L'HEXAGRAMME, L'OMEGA, LA CROIX ET LE TAU...

L'HEURE EST VENUE DE PRÊTER SERMENT ET DE FAIRE ALLIANCE AVEC LA TRADITION. ÊTES-VOUS PRÊTS, FRÈRES ? VOUS ENGAGEZ-VOUS À OFFRIR VOTRE VIE À L'ŒUVRE ?

NOUS NOUS Y ENGAGEONS !

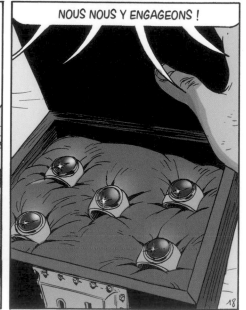

18

DANS CE CAS, PASSONS CES CHEVALIÈRES À NOS DOIGTS ET PRONONÇONS LE SERMENT...

MOI, HUGUES DE CHAMPAGNE...

MOI, CHEVALIER DE PAYNS...

MOI, BASILE LE HARNAIS...

MOI, ARCIS DE BRIENNE...

MOI, GEOFFROY DE SAINT-OMER...

... JE JURE SOLENNELLEMENT DE PRÉSERVER LE SECRET DU FILS DE LA LUMIÈRE ET D'EMPÊCHER QUICONQUE DE S'EN EMPARER POUR LE DÉTOURNER AU PROFIT DE FUNESTES INTENTIONS...

... DE COMBATTRE LES ADVERSAIRES DE LA TRADITION. ET, SI CELA DOIT ÊTRE, DE RENAÎTRE DE LA MORT POUR CHASSER ÉTERNELLEMENT MES ENNEMIS PAR-DELÀ LES SIÈCLES. JE LE JURE !

... JE LE JURE !

LA PORTE ! IL Y A QUELQU'UN DERRIÈRE ! J'AI ENTENDU...

EN ES-TU CERTAIN ? CE N'ÉTAIT PEUT-ÊTRE QU'UN RAT COMME IL EN GROUILLE TANT DANS CES CALES !

UN GROS RAT, DANS CE CAS !

ARCIS, TU L'AS VU DANS L'ESCALIER, N'EST-CE PAS ? UN MANTEAU NOIR...

NON, JE N'AI RIEN VU. NOUS ÉTIONS TOUS TRÈS ÉMUS ET SANS DOUTE AURAS-TU IMAGINÉ QUE...?

CEPENDANT... JE SUIS PERSUADÉ DE L'AVOIR ENTENDU. SES BOTTES, SUR LES MARCHES DE BOIS !

ALLONS, NOUS SERONS À ASCALON À L'AUBE ET NOUS AURONS BIENTÔT REJOINT JÉRUSALEM POUR Y ACCOMPLIR PROMPTEMENT NOTRE MISSION.

TU NOUS AS ACCOMPAGNÉS À REGRET, MON AMI.

AU CONTRAIRE ! MAIS J'AVOUE QU'HÉLÈNE, MA JEUNE ÉPOUSE, ME MANQUE. PLUS VITE NOUS EN AURONS TERMINÉ, PLUS VITE JE SERAI DANS SES BRAS !

VOICI VOS AMIS, SYLBERT. LES AVONS-NOUS ASSEZ ATTENDUS ! J'AI HÂTE DE REGAGNER JÉRUSALEM.

VOUS NE PORTEZ PAS LES CHAMPENOIS DANS VOTRE CŒUR, LONGMAUR...

J'AURAIS PRÉFÉRÉ LES AVOIR AVEC LEUR ARMÉE AUPRÈS DE NOUS LORS DE LA PRISE DE LA VILLE SAINTE. NOUS AURIONS SANS DOUTE PERDU MOINS DE BONS COMPAGNONS.

JE VOIS MON COUSIN SYLBERT, LÀ...

JE LE RECONNAIS. UNE BIEN MAIGRE AMBASSADE POUR NOUS ACCUEILLIR...

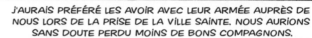

BAUDOUIN DOIT ÊTRE DÉÇU DE NE RECEVOIR QUE CINQ PÈLERINS ACCOMPAGNÉS D'UNE POIGNÉE D'ÉCUYERS, SANS DOUTE AURAIT-IL AIMÉ QUE LE COMTE DE CHAMPAGNE VOYAGE À LA TÊTE D'UNE COPIEUSE ARMÉE !

POUR TOUS, NOUS VENONS ICI À TITRE PRIVÉ, ET C'EST MIEUX AINSI...

MESSIRE HUGUES, JE SUIS BIEN AISE DE VOUS SERRER DANS MES BRAS.

IL EN EST DE MÊME POUR MOI, CHEVALIER. UN VISAGE AMI EST UN RÉCONFORT POUR QUI DÉBARQUE SUR CETTE TERRE INCONNUE. JE NE SUIS GUÈRE HABITUÉ AUX VOYAGES !

EMBRASSONS-NOUS, COUSIN !

DE BON CŒUR !

LES RECHERCHES DE BAUDOUIN PROGRESSENT-ELLES, SYLBERT ?

SES INGÉNIEURS ET OUVRIERS NE CESSENT DE FOUILLER LE TEMPLE, EN ÉTANT PERSUADÉS QU'ILS SONT EMPLOYÉS À CHERCHER LES TRÉSORS DE SALOMON... ILS ONT RÉCOLTÉ QUELQUES BIBELOTS EN OR.

POUR TOUS, LE TOMBEAU DU CHRIST A ÉTÉ LIBÉRÉ. MAIS BUCELIN, LE LÉGAT DU PAPE, NE CESSE DE PRESSER LE ROI AFIN DE METTRE À JOUR LE CAVEAU DE L'IMPOSTEUR.

LE PAPE PASCAL MEURT D'ENVIE DE NOUS PRENDRE DE VITESSE...

IL EST ÉVIDENT QUE BUCELIN CONNAÎT LA RAISON DE VOTRE VENUE.

NOUS DEVRONS AGIR AVEC BEAUCOUP DE DISCRÉTION ET NOUS MÉFIER DES CROISÉS.

PLUS UN MOT, VOICI LE CHEVALIER LONGMAUR, UN FIDÈLE DE BAUDOUIN, UN BRAVE SOLDAT AUSSI SUBTIL QU'UNE HUÎTRE ! J'ÉTAIS À SES CÔTÉS LORS DE LA PRISE DE LA VILLE SAINTE, CET HOMME EST UN VÉRITABLE BOUCHER...

SOYEZ LES BIENVENUS, MESSIRES. VOS CHEVAUX SONT PRÊTS, NOUS PARTONS IMMÉDIATEMENT. AUCUNE RAISON DE S'ATTARDER DANS CE NID INFESTÉ D'ÉGYPTIENS.

TU N'ARRÊTES PAS DE REGARDER PAR-DESSUS TON ÉPAULE COMME SI TU AVAIS UN FANTÔME AUX TROUSSES !

C'EST LE CAS...

L'HOMME DE CETTE NUIT A DÛ DÉBARQUER AVEC NOUS, ET...

ALLONS, DE PAYNS ! TU ES LE SEUL À L'AVOIR ENTENDU. TU N'ES MÊME PAS CERTAIN DE L'AVOIR APERÇU...

J'AI REMARQUÉ TA CHEVALIÈRE, COUSIN. COMME JE L'AI VUE À LA MAIN DE NOS AMIS, ELLES SERONT BIENTÔT DOTÉES TOUTES LES CINQ D'UN REDOUTABLE POUVOIR.

QUE NOUS PRÉSERVERONS AU RISQUE DE NOS VIES. TROP DE MOUCHES TOURNENT DÉJÀ AUTOUR !

C'EST QUE L'ENJEU EST ÉNORME. LE PREMIER, NOTRE MAÎTRE, AURAIT PU TENIR LE MONDE DANS SA PAUME AVEC UN TEL SAVOIR ! UNE TELLE FORCE !

MAIS IL A PRÉFÉRÉ SCELLER CETTE CONNAISSANCE DANS LA GLAISE ET IL A BIEN FAIT. QUI SE SERVIRAIT DE SA SCIENCE PAR CUPIDITÉ OUVRIRAIT LES PORTES DE L'ENFER !

SANS DOUTE... OUI, SANS DOUTE, PAR MA FOI !

NE TORTURE PAS TON ESPRIT, SYLBERT. CELA FAIT PLUS DE DIX SIÈCLES QUE NOTRE CONFRÉRIE VEILLE.

BIEN SÛR, N'EMPÊCHE, CETTE FOIS LA MENACE EST CHAUDE !

OUI, LE PAPE... LA MENACE VIENDRA DE LUI... SI ELLE N'EST DÉJÀ LÀ !

LA MOSQUÉE
AL-ASQUA...

ET VOICI LE JEUNE BAUDOUIN, ROI DE JÉRUSALEM. TIENS, BUCELIN NE L'ACCOMPAGNE PAS... JE PENSAIS QUE LE LÉGAT DU PAPE AURAIT LA DÉLICATESSE DE SE PRÉSENTER À VOUS, COMTE !

JE NE SUIS PAS VANITEUX AU POINT D'EN ÊTRE OFFUSQUÉ, SYLBERT !

CE CHEVALIER A BIEN TRISTE ASPECT !

IL EST AINSI DEPUIS QUELQUES HEURES, SIRE. IL LUI FAUDRAIT UNE BONNE MÉDICATION.

BERTRAND, FAIS DÉPÊCHER EN HÂTE UN DOCTEUR AUPRÈS DE NOS HÔTES QU'ANDRÉ VA CONDUIRE DANS LEUR MAISON !

EN MA QUALITÉ, JE VOUS REMERCIE, SIRE. JE SUIS HUGUES, DU COMTÉ DE CHAMPAGNE, HONORÉ DE FOULER LE SOL DE LA SAINTE TERRE QUE VOTRE FRÈRE À CONQUISE AU PRIX DU SANG.

JE VOUS REÇOIS DANS LE MODESTE CONFORT DE MA GARNISON, MON AMI. JE SOUHAITE NÉANMOINS QU'AVEC LES VÔTRES VOUS PARTAGIEZ MA TABLE CE SOIR, APRÈS QUE NOUS NOUS SERONS RECUEILLIS DEVANT LE TOMBEAU DE NOTRE SEIGNEUR JÉSUS-CHRIST.

NOUS SOMMES PRESSÉS DE PRIER DANS CE SAINT LIEU.

ÉTONNANT ÉQUIPAGE ! LE COMTE DE CHAMPAGNE EST LE PLUS IMPORTANT FEUDATAIRE DE FRANCE, SA FORTUNE EST DOUBLE SINON TRIPLE DE CELLE DE SON ROI, ET LE VOICI À JÉRUSALEM COMME UN MISÉREUX !

ON LE PROCLAME TRÈS PIEUX... SANS DOUTE EST-CE VRAI !

24

DOMINUS VOBISCUM.

ET CUM SPIRITU TUO !

AINSI, C'EST VOUS... C'EST À VOUS QUE NOUS DEVONS D'ÊTRE SI BIEN RENSEIGNÉS. ET VOUS ÊTES VENU EN PERSONNE !

UNE BESOGNE QUI ME CONVIENT, MONSEIGNEUR. JE PRENDS QUELQUE PLAISIR À SERVIR À MA MANIÈRE LA CAUSE DE DIEU...

C'EST GRÂCE À L'ÉPOUSE D'ARCIS DE BRIENNE QUE VOUS ÊTES ICI, N'EST-CE PAS ?

LA PÉRONNELLE M'A PERMIS D'APPRENDRE QUE LES CHAMPENOIS POSSÉDAIENT UNE CARTE PRÉCISANT L'EMPLACEMENT DU TOMBEAU DE L'IMPOSTEUR.

D'AUTRE PART, EN LES ESPIONNANT CETTE NUIT, JE LES AI ENTENDUS PRONONCER "INRI"... PUIS CETTE PHRASE : "IGNE NATURA RENOVATUR INTEGRA."

INRI ! LE MONOGRAMME TRACÉ PAR LES ROMAINS AU-DESSUS DE LA TÊTE DU "CRUCIFIÉ"!

ON M'A TOUJOURS ENSEIGNÉ QUE CES LETTRES SIGNIFIAIENT : JESUS NAZAREUS REX IUDAEORUM !

NATURELLEMENT ! ET QUE L'ON TRADUIT PAR JÉSUS DE NAZARETH, ROI DES JUIFS...

PAR CETTE PHRASE, LES ROMAINS SE MOQUAIENT DE CELUI QUI SE PROCLAMAIT LE MESSIE ! ILS VENAIENT DE LE COURONNER D'UNE TIARE D'ÉPINES...

POURTANT, J'AI NETTEMENT DISTINGUÉ CES MOTS. JE N'AI PAS PU ME TROMPER...

NON, CELA A BIEN UN SENS... IGNE NATURA RENOVATUR INTEGRA... "C'EST EN S'Y INTÉGRANT QUE LA NATURE RESSUSCITE !..." QUE VEULENT EXPRIMER CES SORCIERS DE CHAMPENOIS PAR CETTE MAXIME ? À MOINS QUE...

IL EST TEMPS DE LES EMPÊCHER DE NUIRE, MONSEIGNEUR.

JE VAIS TENTER DE ME PROCURER LEUR CARTE AU PLUS VITE. NOUS NOUS EMPARERONS DES PREUVES DE ...

OUI, OUI... CAR CETTE ÉNIGMATIQUE PHRASE A SANS AUCUN DOUTE UN RAPPORT AVEC LE SECRET DU SÉPULCRE DE L'IMPOSTEUR ! AVEC CE QUE NOUS CHERCHONS.

VOUS NE PENSEZ TOUT DE MÊME PAS QUE...? C'EST IMPOSSIBLE ! C'EST UNE LÉGENDE... PERSONNE NE CROIRAIT QUE...

À ROME, BEAUCOUP Y CROIENT.

MON AMOUR, MA TENDRE HÉLÈNE, NOUS SOMMES ARRIVÉS À JÉRUSALEM. UN ÉTRANGE SENTIMENT M'OPPRESSE ET JE PEINE À LUTTER CONTRE L'INQUIÉTUDE QUI M'ENVAHIT. MES COMPAGNONS RESSENTENT SANS DOUTE LA MÊME IMPRESSION, MAIS AUCUN D'EUX NE S'ABANDONNE À LE MANIFESTER.

NOTRE FRÈRE BASILE, QUE TU APPRÉCIES TANT POUR SA SAGESSE, EST MAL. SA SANTÉ FRAGILE N'A PAS RÉSISTÉ AU LONG ET INCONFORTABLE VOYAGE. LA FIÈVRE QUI LE RONGE N'EST-ELLE PAS DÉJÀ LE SIGNE D'UNE MALÉDICTION ? NE NOUS SOMMES-NOUS PAS DAMNÉS EN VENANT CHERCHER LES CLEFS DE L'INDICIBLE SECRET ?

LE MÉDECIN N'A PAS DIAGNOSTIQUÉ DE PROFONDE ATTAQUE, FRÈRE. TU SERAS VITE REMIS SUR PIED.

TA FOI EST GRANDE, DE PAYNS. CEPENDANT, LA TÊTE ME BRÛLE ET J'AI BIEN VILAINE VUE... TOUT SE BROUILLE !

JE M'EN VEUX D'ÊTRE UN FARDEAU... NOUS AVONS UN DEVOIR À ACCOMPLIR ET...

CE SERA FAIT, BASILE ! CE SERA FAIT EN SON TEMPS.

LE ROI BAUDOUIN NOUS MANDE POUR ASSISTER À LA MESSE. DÉCROTTEZ VOS VÊTEMENTS ET VENEZ.

NOUS TE SUIVONS, COMTE. MAIS BASILE DEVRAIT GARDER LE LIT...

AUCUNEMENT ! "CHAMPENOIS JAMAIS NE FAIBLIT. JAMAIS NE MEURT AU LIT !" HÉ... !

MULE BÂTÉE !

RECOUCHE-TOI, BASILE, LE ROI COMPRENDRA. ET SI TU AS BESOIN DE QUOI QUE CE SOIT, APPELLE UN DES ÉCUYERS QUI DORMENT À CÔTÉ.

APRÈS TOUT, JE DIRAI DEUX MESSES DEMAIN.

JE M'INQUIÈTE POUR BASILE. CE VOYAGE, CES ÉMOTIONS... IL N'EST PLUS AUSSI ROBUSTE QU'AUTREFOIS.

ALLONS, ARCIS, IL NOUS ENTERRERA TOUS !

MOI LE PREMIER, QUI NE ME SUIS PAS REMIS DE LA TRAVERSÉE. J'AI ENCORE L'ESTOMAC AU BORD DES LÈVRES.

COMME VOUS LE SAVEZ, NOUS DEVONS LA DÉCOUVERTE DE LA TOMBE DE NOTRE SEIGNEUR À L'EMPEREUR CONSTANTIN, IL Y A PRÈS DE SEPT SIÈCLES...

IL S'ÉLEVAIT LÀ UN TEMPLE ROMAIN QUE L'EMPEREUR FIT RASER. JE NE ME LASSE PAS DE RELIRE L'HISTOIRE ECCLÉSIASTIQUE DE L'ÉVÊQUE EUSÈBE DE CÉSARÉE QUI RELATE CET ÉVÉNEMENT...

COMMENT SE FAIT-IL QUE LA SÉPULTURE AIT ÉTÉ PRÉSERVÉE ? LE CALIFE HAKIM, AU SIÈCLE DERNIER, A BIEN DÉTRUIT LA CHAPELLE QUI L'ABRITAIT ?

VOUS ÊTES REMARQUABLEMENT SAVANT, CHEVALIER ! EN EFFET, LA TOMBE A TOUJOURS SUSCITÉ UN INDÉFECTIBLE RESPECT CHEZ LES OCCUPANTS DE CETTE CITÉ. DE LA SUPERSTITION, SANS DOUTE.

IN DOMUM DOMINI IBIMUS .

AMEN.

27

VOILÀ, MAÎTRE BASILE, CE BOUILLON VA VOUS... ?!

PAR SAINT JEAN !

HEIN ?!...
DU LARGE,
PETIT ! FUIS !

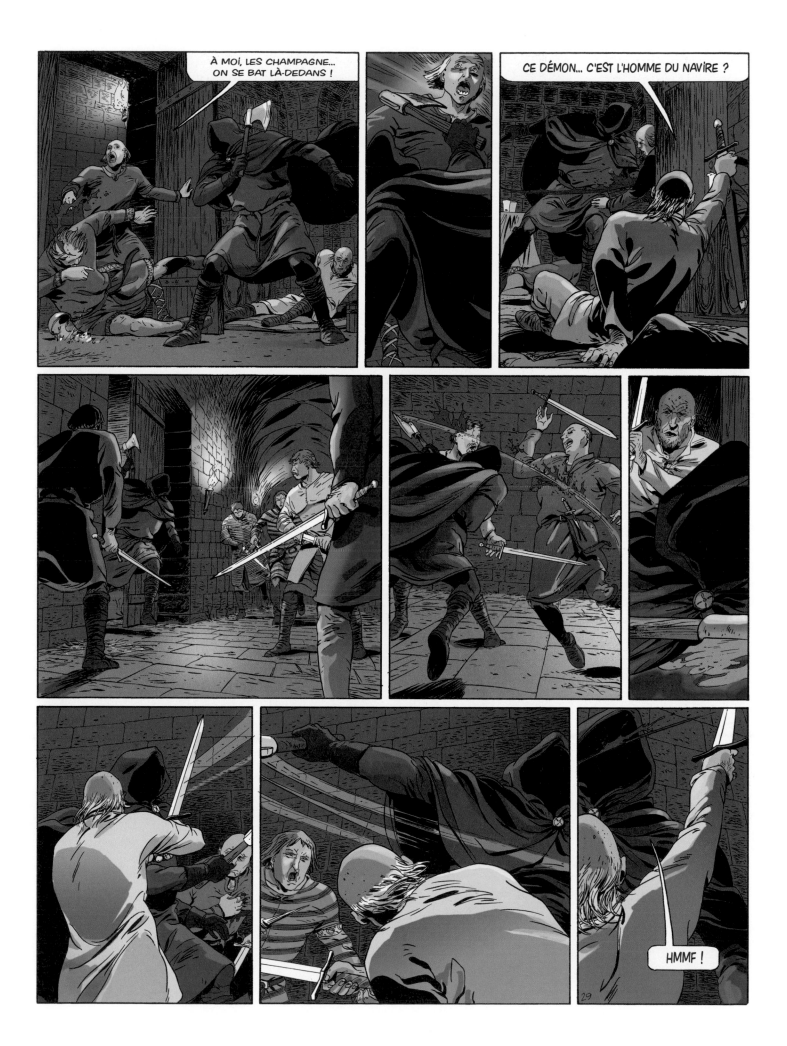

MAUDIT ANGE DE L'ENFER ! IL... IL NE COURT PAS, IL VOLE !

HÉ !

MESSIRES ! VENEZ VITE, IL Y A EU GRAND MALHEUR AU DORTOIR !

C'EST BASILE, N'EST-CE PAS, SON ÉTAT S'EST AGGRAVÉ ?

NON, AU CONTRAIRE ! LE CHEVALIER NOUS A AIDÉS À METTRE EN FUITE UN HOMME QUI NOUS A ATTAQUÉS...

JAMAIS JE N'AI VU UNE TELLE VIOLENCE ! QUE DIEU ME GARDE D'AVOIR CROISÉ LE DIABLE EN PERSONNE... TOUT CE SANG... ET CES MEMBRES ARRACHÉS ! À LA HACHE ! UN BOUCHER...

LE SEIGNEUR NOUS PARDONNERA, MES AMIS : ÉPÉES EN MAINS ! ALLONS VOIR...

... IMPROBABLE QUE CE SOIT UNE INCURSION DE SARRASINS... VOUS ÊTES MES HÔTES ET JE SAURAI RÉPARER CE MÉFAIT ! UNE ENQUÊTE SERA DILIGENTÉE, NOUS TROUVERONS RAPIDEMENT LE COUPABLE, JE VOUS LE PROMETS, COMTE !

JE VOUS CROIS, SIRE.

30

JE N'OSE PENSER QUE VOUS PORTEZ LA MOINDRE RESPONSABILITÉ DANS CETTE AFFAIRE, MONSEIGNEUR.

J'ÉTAIS À VOS CÔTÉS, SIRE. JE PRIAIS AVEC VOUS... JE PRIAIS POUR NOTRE SAINTE MÈRE L'ÉGLISE.

JE NE SUIS PARVENU QU'À LE BLESSER AU VISAGE SANS MÊME ÊTRE CERTAIN DE LUI AVOIR FAIT GRAND MAL !

AS-TU VU DE QUI IL S'AGISSAIT, AU MOINS ?

RIEN QU'UNE FACE D'OMBRE, COMTE !

TES CRAINTES ÉTAIENT FONDÉES, DE PAYNS.

OUI, L'HOMME QUE J'AI POURSUIVI DANS LES COURSIVES LA NUIT DERNIÈRE...

QUI A PU APPRENDRE QUE NOUS...?

PLUS UN MOT, GEOFFROY, LE ROI NE DOIT PAS SE DOUTER... NOUS PARLERONS PLUS TARD.

NOUS SAVIONS TOUS À QUI PENSAIT ALORS GEOFFROY, MA TENDRE HÉLÈNE. "ILS" AVAIENT LANCÉ UN DE LEURS CHIENS DE CHASSE À NOS TROUSSES ! NOUS N'AVIONS PAS ENCORE OSÉ PRONONCER LEUR NOM. COMBIEN DE FOIS T'AI-JE PARLÉ D'EUX, DE L'ÉPOUVANTABLE MENACE QU'ILS REPRÉSENTENT ?

COMMENT ? COMMENT ONT-ILS PU ÊTRE INFORMÉS DE NOS INTENTIONS ?

VOUS PARLEZ DE CETTE SECTE OCCULTE, MESSIRE ?

IL NE PEUT S'AGIR QUE D'ELLE, COUSIN. RUSÉE, SOURNOISE ET INTELLIGENTE... UNE HYDRE DONT LES MEMBRES CHERCHENT LA MÊME CHOSE QUE NOUS SANS AVOIR JAMAIS CESSÉ DE NOUS ÉPIER !

PRONONCER LEUR NOM, ENFIN !

LES GARDIENS DU SANG !

PAR NOS SAINTS PATRONS LE BAPTISTE ET L'ÉVANGÉLISTE, NE NOUS ATTARDONS PAS À JÉRUSALEM !

BASILE ! CETTE NUIT MÊME ?...

TU AS PERDU LA RAISON ?!

JE N'AURAI L'ESPRIT AU REPOS QU'EN HONORANT NOTRE ENGAGEMENT ET EN PRENANT POSSESSION DES SAINTS SIGNES !

POURQUOI VOUS REFUSEZ-VOUS À ABSORBER QUELQUES CUILLERÉES DE CETTE DROGUE HYPNOTIQUE QUI ATTÉNUERAIT LA DOULEUR ?

UN BIEN FAIBLE MARTYRE, EN VÉRITÉ... EN COMPARAISON DE CELUI DES PREMIERS CHRÉTIENS PERSÉCUTÉS.

VOUS NE RESSENTEZ VRAIMENT RIEN ?

LES MORTIFICATIONS, PÉNITENCES ET JEÛNES QUE JE ME SUIS IMPOSÉS ONT EU RAISON DE CETTE FAIBLESSE HUMAINE. MON CORPS ET MON ESPRIT IGNORENT LA SOUFFRANCE !

VOTRE IMPASSIBILITÉ SEMBLE EFFRAYER MON JEUNE ABBÉ. UNE TELLE INSENSIBILITÉ N'EST PAS HUMAINE !

AU CONTRAIRE. L'ASCÈSE DEVRAIT CONDUIRE TOUS LES HOMMES À SE DÉTACHER DES AFFLICTIONS DE LA CHAIR.

JE NE SUIS QU'UNE ARME, MONSEIGNEUR ! L'OUTIL QUI PROTÉGERA LES INTÉRÊTS SUPÉRIEURS DE L'ÉGLISE. L'HISTOIRE EST MENSONGÈRE, IL NOUS APPARTIENT DE LA RÉÉCRIRE DE MANIÈRE À PRÉSERVER LA FOI EN DIEU... LA FOI EST LE CIMENT INDISPENSABLE DE LA SOCIÉTÉ, QUI DOIT PRÉSERVER L'HUMANITÉ CONTRE LES HÉRÉTIQUES.

VOILÀ... JE... J'AI TERMINÉ. SANS DOUTE FAUDRA-T-IL APPLIQUER ULTÉRIEUREMENT UN EMPLÂTRE D'ANTHYLLIS FULMERARIA SUR LA CICATRICE...

DE L'EAU BÉNITE, PLUTÔT ! C'EST LA LAME D'UN RENÉGAT QUI M'A FAIT CETTE BLESSURE !

UN BEL OUVRAGE DE COUTURE !

VOUS NE PARLEREZ DE CELA À PERSONNE OU JE VOUS FENDS LA TÊTE COMME UNE BÛCHE, L'ABBÉ.

JU... JURÉ, MESSIRE !

N'AYEZ CRAINTE, IL A FAIT LE SERMENT DE SERVIR LES GARDIENS DU SANG ET JE RÉPONDS DE SON SILENCE.

JE PEUX AUSSI COMPTER SUR QUELQUES CHEVALIERS QUI ADHÈRENT À NOTRE CAUSE, AINSI QUE CERTAINS DE LEURS ÉCUYERS. J'AI FAIT SURVEILLER LE DORTOIR DES CHAMPENOIS ET L'ON ME PRÉVIENDRA DÈS QU'ILS BOUGERONT.

32

TU AS VU QUI LES A CONDUITS PAR LA POTERNE, LONGMAUR ?

MON VIEUX COMPAGNON DE BATAILLE : SYLBERT ! PARDI, N'EST-IL PAS NÉ EN CHAMPAGNE ? CE TRAÎTRE MOURAIT D'IMPATIENCE DE RETROUVER SON COUSIN DE PAYNS...

HÂTE-TOI DE PRÉVENIR LE LÉGAT, EURIC, QU'IL RÉUNISSE SES HOMMES. JE NE LES PERDS PAS DE VUE.

PARVIENDRONS-NOUS À LIRE CETTE CARTE, LA VILLE A SANS DOUTE BEAUCOUP CHANGÉ EN DIX SIÈCLES ?

JOSEPH D'ARIMATHIE, L'ONCLE DE JÉSUS, A DESSINÉ CE PLAN EN PRENANT LE TEMPLE DE SALOMON POUR POINT DE DÉPART DU TRAJET À FAIRE POUR ATTEINDRE LE TOMBEAU DE L'IMPOSTEUR...

ET LE DÔME DU ROCHER A ÉTÉ CONSTRUIT SUR L'EMPLACEMENT MÊME DU TEMPLE QUE JOSEPH D'ARIMATHIE FAIT FIGURER SUR LA CARTE COMME ÉTANT L'ÉTOILE ALKAID.

ALKAID EST LA PREMIÈRE ÉTOILE DE LA QUEUE DE LA CONSTELLATION D'URSA MAJOR. IL NOUS SUFFIT DE CALQUER NOTRE ROUTE AU DEGRÉ PRÈS SUR CETTE FIGURE CÉLESTE.

DE PAYNS EST SUFFISAMMENT SAVANT EN ASTROLOGIE ET EN MATHÉMATIQUES POUR NOUS CONDUIRE JUSQU'À LA DERNIÈRE ÉTOILE D'URSA MAJOR : DUBLE ! C'EST LÀ QUE DEVRAIT SE TROUVER LA TOMBE DE THOMAS.

D'AUTANT PLUS QUE JOSEPH DIT AVOIR LAISSÉ DES INDICES DANS LA PIERRE DE CERTAINS MURS. PEUT-ÊTRE EN TROUVERONS-NOUS QUE LE TEMPS A PRÉSERVÉS ?

33

L'IDÉE DE JOSEPH D'ARIMATHIE ÉTAIT INGÉNIEUSE. ELLE FAISAIT DE JÉRUSALEM UNE PARTIE DU CIEL, NOTRE PARCOURS DEVENANT LA REPRODUCTION DE LA GRANDE OURSE À L'ÉCHELLE DE LA VILLE.

VITE ! ILS ONT DISPARU AU BOUT DE CETTE RUELLE...

NOUS LES RETROUVERONS. ESSAYEZ DE NE PAS FAIRE SONNER VOS ÉPÉES EN MARCHANT ! PRÉPAREZ BRIQUETS ET TORCHES !

VOYEZ, MESSIRE, NOUS ÉVITERONS MÊME À BAUDOUIN DE SE COMPROMETTRE ET RÉGLERONS CETTE AFFAIRE SANS SON CONCOURS.

C'EST MIEUX AINSI, UN SECRET TROP PARTAGÉ DEVIENT VITE UN FRUIT GÂTÉ.

REGARDE, COUSIN !

CE SIGNE CORRESPOND À ZÊTA, LA SECONDE ÉTOILE D'URSA MAJOR À LAQUELLE ON A DONNÉ LE NOM DE MIZAR. POURSUIVONS, NOUS TOMBERONS BIENTÔT SUR ALIOTH QUI DEVRAIT ÊTRE DÉSIGNÉE PAR L'EPSILON.

C'EST À CROIRE QUE TU ES DÉJÀ VENU DÉFRICHER LE CHEMIN, DE PAYNS !

MILLE FOIS EN RÊVE, EN EFFET.

EH, BASILE !... PRENDS MON BRAS, TU TIENS À PEINE DEBOUT.

CE N'EST RIEN... UN MALAISE...

... MAIS J'ACCEPTE L'OFFRE, ARCIS.

PRENDS LE MIEN AUSSI, IL TE SERA UN MEILLEUR TUTEUR !

TU ES GELÉ ! ET TU TREMBLES COMME UNE FEUILLE...

C'EST CETTE FIÈVRE... OU CETTE BAGUE ! LA NUIT AUSSI... NE TROUVEZ-VOUS PAS QUE CETTE NUIT PUE LE TOMBEAU ?

MOI, JE NE SENS QUE L'ODEUR DU SABLE, LE PARFUM DES OLIVIERS... ET TA SUEUR, BASILE !

IL AVAIT PEUR ! IL REDOUTAIT CE QUE NOUS ALLIONS FAIRE. TOUT COMME MOI, BASILE CRAIGNAIT DE PROFANER LE PLUS REDOUTABLE DES MYSTÈRES ET DE VIOLER LES PRINCIPES DE LA VIE, FUSSENT-ILS RÉÉCRITS PAR LE PREMIER, NOTRE SEIGNEUR JÉSUS EN PERSONNE.

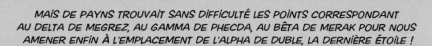

DE PAYNS NOUS RASSURAIT TOUT EN POURSUIVANT SES CALCULS. LES PIERRES MARQUÉES PAR JOSEPH D'ARIMATHIE AVAIENT POUR LA PLUPART ÉTÉ EFFACÉES.

MAIS DE PAYNS TROUVAIT SANS DIFFICULTÉ LES POINTS CORRESPONDANT AU DELTA DE MEGREZ, AU GAMMA DE PHECDA, AU BÊTA DE MERAK POUR NOUS AMENER ENFIN À L'EMPLACEMENT DE L'ALPHA DE DUBLE, LA DERNIÈRE ÉTOILE !

TU NOUS AS CONDUITS EN ENFER !

C'EST LE QUARTIER DES LÉPREUX. IL N'Y A QUE DES MALHEUREUX COMME EUX, PRESQUE MORTS, POUR INVESTIR UNE ANCIENNE NÉCROPOLE...

APPROCHEZ ! APPROCHEZ TOUS... NOUS L'AVONS TROUVÉ !

QU'INRI NOUS ILLUMINE !

35

37

TU GARDERAS LA PLACE PENDANT QUE NOUS ACCOMPLIRONS NOTRE DEVOIR, SYLBERT.

NE TARDEZ PAS TROP. NOTRE PRÉSENCE A CERTAINEMENT DÉJÀ ÉTÉ REMARQUÉE.

FOUILLONS LES ARCOSALIA, NOUS NE CHERCHONS PAS UN OSSUAIRE MAIS UN CORPS DÉCOMPOSÉ. LE SEUL SQUELETTE QUE CONTIENT CE CAVEAU.

MES AMIS... VENEZ !

HABITUELLEMENT, AFIN DE PRÉPARER LA RÉSURRECTION, APRÈS QUE LA CHAIR EUT QUITTÉ LES OS, ON PLAÇAIT CEUX-CI DANS UNE URNE. CE QUI FUT INTERDIT POUR L'IMPOSTEUR !

36

LÀ... C'EST LÀ QUE JÉSUS SE SERAIT TENU ASSIS, SELON LA TRADITION. IL SE SERAIT ADRESSÉ À SON FRÈRE, CERTAIN QUE LA MORT N'AVAIT PAS ENCORE OBTURÉ TOUTES LES PORTES DE SON ESPRIT... IL L'INTERROGEAIT !

THOMAS ÉTAIT SON JUMEAU, LEURS DEUX ÂMES ÉTAIENT LIÉES. À MOINS QU'ELLE NE LEUR FUT UNIQUE, LES FAISANT SOUFFRIR EN LES OBLIGEANT À LA PARTAGER ENTRE OMBRE ET LUMIÈRE, SE LA DISPUTANT SANS CESSE...

CE QUE CHERCHAIT JÉSUS DEPUIS QU'IL AVAIT ÉTÉ INITIÉ PAR LES DOCTEURS ÉGYPTIENS, CE QUE SA SCIENCE LUI AVAIT FAIT EFFLEURER À MAINTES REPRISES SANS LUI OFFRIR DE VICTOIRE, IL LE DÉCOUVRIT ICI, DANS UNE EXTASE !

ALORS QU'IL QUESTIONNAIT SON FRÈRE, IL FUT PRIS D'UNE ILLUMINATION. LA DOULEUR QUI BRÛLAIT SON ESPRIT ET SA CHAIR, LES DROGUES QU'IL AVAIT ABSORBÉES, LA PRÉSENCE DE LA MORT QUI FAISAIT SON ŒUVRE SUR THOMAS, TOUT CELA LE MIT EN TRANSE.

JÉSUS AVAIT APPROCHÉ LE GRAND ARCANE, IL NE LUI MANQUAIT PLUS QU'À SYMBOLISER L'ŒUVRE ULTIME PAR CINQ FIGURES. CELLES-CI LUI APPARURENT ALORS... COMME SI THOMAS LES LUI AVAIT DICTÉES.

ET IL S'EMPRESSA DE LES ESQUISSER DE LA POINTE DU DOIGT SUR LE SUAIRE DE SON FRÈRE. AVEC LE SANG ET LES GLAIRES DE CE DERNIER !

JÉSUS DESSINA L'ORDRE DANS LE CHAOS... IL TRAÇA LES SAINTS SIGNES ! LE SECRET DE L'IMMORTALITÉ POUR L'INITIÉ QUI SAURAIT LES TRADUIRE...

VOICI LE SAVOIR ! VOICI LA CONNAISSANCE QUI OPPOSE LA VIE À LA MORT. VOICI LA LUMINEUSE ÉQUATION ALCHIMIQUE DE NOTRE MAÎTRE JÉSUS.

NOUS, FRÈRES DE LA LOGE PREMIÈRE, NOUS EN DEVENONS CETTE NUIT DE GRÂCE LES DÉPOSITAIRES POUR LES SIÈCLES À VENIR.

37

IGNE NATURA RENOVATUR INTEGRA !

PAR LE TRIANGLE, L'HEXAGRAMME, L'OMÉGA, LA CROIX ET LE TAU...

PARTAGEONS LA VÉRITABLE EUCHARISTIE ! LA CHAIR DE LA VIE...

LA LUMIÈRE DE JÉSUS QUE NOUS SÉPARONS EN CINQ ÉCLATS. PRENONS-EN CHACUN UN...

... ET DEVENONS LES CINQ DOIGTS DE LA MAIN DROITE DU CHRIST.

QUE FAIS-TU, BASILE ?! PAR SAINT JEAN !

JE VEUX VOIR... LES MARQUES !

LES... LES POIGNETS ET LES PIEDS TROUÉS. JE... JE VOIS ENFIN LE "CRUCIFIÉ"... L'IMPOSTEUR A TELLEMENT HANTÉ MES NUITS DE CAUCHEMAR !

IL N'EST PAS BON DE PORTER LES YEUX SUR LUI, MON AMI.

MILLE FOIS JE L'AI VU SE DRESSER DANS L'OMBRE... ME TENDRE SES BRAS MORTS ET M'ATTIRER À LUI. LE MAUDIT !

TAIS-TOI, BASILE ! REMONTONS, NOTRE TÂCHE EST ACCOMPLIE.

38

ÇA BOUGE,
LÀ-BAS !

QU'Y A-T-IL,
SYLBERT ?

IL FAUT DÉGUERPIR ! J'AI VU
QUELQUES SILHOUETTES
ET DES LAMES BRILLER !

DES LÉPREUX ?

PAR MON ÂME, LES MARAUDS SE TENAIENT
BIEN DROITS POUR DES ÉCLOPÉS ! AVEZ-VOUS
FAIT CE QUE VOUS AVIEZ À FAIRE ?

C'EST BON. PEU IMPORTE QUE D'AUTRES PÉNÈTRENT
DANS CETTE TOMBE DÉSORMAIS. NUL NE SAURA
JAMAIS CE QUE NOUS EMPORTONS. FILONS !

CHEVALIER, PRENEZ VOS
HOMMES ET DONNEZ LA CHASSE
À CES RATS ! TOI, FROTTE TON
BRIQUET, ALLUME LES TORCHES
ET DONNE-M'EN UNE.

JE CRAINS
QU'ILS N'AIENT LA
DÉPLAISANTE IDÉE DE
NOUS SAIGNER !

ÉTEIGNEZ LA
LANTERNE !

PRENONS LES DÉDALES DU
QUARTIER DES LÉPREUX. SUIVEZ-MOI !

IL EST PRÉFÉRABLE D'ÉLOIGNER TOUT CE MONDE DU TOMBEAU, N'EST-CE PAS, MONSEIGNEUR ? IL SERAIT FÂCHEUX QUE VOS CROISÉS DÉCOUVRENT CE QUE NOUS ALLONS Y VOIR.

CERTES... MAIS LES CHAMPENOIS ONT PEUT-ÊTRE EU LE TEMPS DE TOUCHER AU SUAIRE ET DE...

JE SAIS ! JE SAIS AUSSI QUE VOS HOMMES NE PARVIENDRONT PAS À LES PRENDRE.

COMMENT POUVEZ-VOUS EN ÊTRE CERTAIN ?

VOS AGENTS DE CHAMPAGNE N'ONT DONC PAS COLPORTÉ LA RÉPUTATION DE CE MAUDIT CHEVALIER DE PAYNS JUSQU'À VOUS, ÉMINENCE ?

MA FOI, IL COURT EN EFFET CERTAINS BRUITS SUR LUI...

C'EST UN SORCIER ENGENDRÉ PAR LE DIABLE. ET C'EST LE MALIN EN PERSONNE QUI LUI A ENSEIGNÉ LA MAÎTRISE DES ARMES. QUI SE TROUVE À PORTÉE DE SON ÉPÉE EST CONDAMNÉ !

ENCORE UN EFFORT, BASILE, JE T'EN SUPPLIE...

DAMNÉES JAMBES QUI NE PORTENT PLUS MA CARCASSE !

QU'ARCIS ET GEOFFROY L'EMPORTENT ! HUGUES ET SYLBERT AVEC MOI...

POUR LA GLOIRE DE JÉSUS !

PAR FIDÉLITÉ À SA PAROLE !

AH, C'EST TOI, LONGMAUR ! TOI, UN FRÈRE D'ARMES ?

JE NE COMPTE PAS LES RENÉGATS PARMI MES COMPAGNONS !

VOYEZ ! ILS ONT DÉCOUPÉ LE SUAIRE... CE N'ÉTAIT DONC PAS UNE LÉGENDE, VOUS COMPRENEZ, MAINTENANT ? C'ÉTAIT VRAI ! ILS ONT EMPORTÉ LA FORMULE RÉVÉLÉE PAR LE CHRIST !

SIMPLE PÉRIPÉTIE... UN TEMPS POUR CHAQUE CHOSE.

MAIS...? VOUS NE POUVEZ PAS IGNORER L'IMPORTANCE MAGISTRALE DE CETTE DÉCOUVERTE ! C'EST LE... LE MIRACLE DE L'IMMORTALITÉ !... JÉSUS NE POSSÉDAIT PAS DE POUVOIR DIVIN... C'ÉTAIT UN ALCHIMISTE QUI A TRANSGRESSÉ LES LOIS DE LA NATURE !

BLASPHÈME !

JE L'AI NIÉ LONGTEMPS AUSSI, CEPENDANT JE ME SUIS RÉSIGNÉ À DÉFENDRE LA CAUSE MENSONGÈRE DE L'ÉGLISE. DÉFENDRE LE DOGME...

DÉFENDRE LA VÉRITÉ, CELLE QUI VEUT QUE LE CHRIST AIT ÉTÉ FILS DE DIEU ! QUOI QUE JE VOIE, QUOI QUE J'ENTENDE DE CONTRAIRE, JE NE CESSERAI DE CROIRE.

TES MUSCLES SE SONT ROUILLÉS DEPUIS LA BATAILLE DE JÉRUSALEM, SYLBERT !

41

DE PAYNS, SYLBERT EST EN DIFFICULTÉ !

ADIEU, SYLBERT. LE LÉGAT BUCELIN M'OCTROIERA AU MOINS DEUX SIÈCLES D'INDULGENCE POUR CE GESTE...

MERCI, MON COUSIN. TU L'AS TRANSPERCÉ AUSSI AISÉMENT QU'UNE MINCE COUENNE DE LARD. ET NOUS AVONS MAINTENANT LA PREUVE QUE L'ÉGLISE EST DERRIÈRE TOUT CELA !

PAS TOUTE L'ÉGLISE, AMI. IL A JUSTE NOMMÉ BUCELIN.

VOYEZ, MONSEIGNEUR... LES MARQUES DU SUPPLICE SUR LE LINGE.

À ROME, D'HABILES ARTISANS SAURONT RAPIÉCER CE SUAIRE ET, POUR LA CHRÉTIENTÉ ENTIÈRE, IL DEVIENDRA LA PLUS SACRÉE DES RELIQUES !

LA PREUVE DE L'EXISTENCE DU CHRIST ! SON PASSAGE PAR LES TÉNÈBRES DE LA MORT AVANT SA RÉSURRECTION !

VOUS VOULEZ FAIRE HONORER LE LINCEUL DE THOMAS PAR LES CROYANTS ? LE LINCEUL DE L'IMPOSTEUR ?...

QUI POURRA NIER QUE CE LINGE NE FUT PAS CELUI DE JÉSUS ? OÙ SERA LA SUPERCHERIE ? JE SUIS ICI POUR ÉCRIRE L'HISTOIRE...

... ET EFFACER SES MENSONGES !

SOYEZ BÉNIS, CAR CETTE NUIT EST CELLE DE LA LUMIÈRE ! CELLE DE LA FOI RAYONNANTE !

IL NE ME RESTE PLUS QU'À ME CHARGER DE CE JEUNE ABBÉ... QUANT AU SECRET DES CHAMPENOIS, HÉLÈNE DE BRIENNE SAURA BIEN ME LE LIVRER UN JOUR ! JE SAURAI ÊTRE PATIENT...

PAR CETTE RUELLE, NOUS AURONS VIVEMENT ATTEINT LA MAISON CHEVÊTAINE.

TU SERAS VITE ALLONGÉ SUR TA COUCHE, BASILE.

C'EST CET HOMME À LA HACHE QUI NOUS LIVRE CE COMBAT... CE TUEUR ABOMINABLE QUI DÉMEMBRE SES VICTIMES COMME UN VULGAIRE ÉQUARRISSEUR.

À CROIRE QUE LE DIABLE LUI SOUFFLE À L'OREILLE LE MOINDRE DE NOS MOUVEMENTS !

JOIGNONS NOS MAINS, MES FRÈRES. NOUS SERONS PLUS À L'AISE SUR CETTE PLACE POUR SANCTIFIER NOTRE SECOND SERMENT. ETES-VOUS PRÊTS ?

TU AS RAISON, COMTE. NE TARDONS PAS. FORMONS LA CHAÎNE DE LA TRADITION. TRACE LA CROIX, GEOFFROY.

PAR SALEM, LA VILLE DE LA PAIX QUI DEVINT JÉRUSALEM, LA CITÉ DE TOUTES LES CONFRONTATIONS ENTRE LES MAINS DES SOUVERAINS OMEYYADES DES ABBASSIDES, DES FATILIDES CHIITES ET SELDJOUKIDES SUNNITES...

PAR LE SECRET INDICIBLE SCELLÉ DANS SES PIERRES CIMENTÉES PAR LE SANG DE SES VICTIMES...

PAR LE CRISTAL DE SON EAU...

PAR L'EAU DE SES ROCHES...

PAR SON OR SPIRITUEL...

PUISQU'IL SERA TOUJOURS L'HEURE ET QUE NOUS AURONS TOUJOURS L'ÂGE SELON L'ENSEIGNEMENT DE NOTRE MAÎTRE LE FRÈRE PREMIER, JURONS DE POURSUIVRE NOS TRAVAUX DANS L'UNITÉ RECOUVRÉE.

QUE JAMAIS NOUS N'ENLEVIONS DE NOTRE MAIN CETTE CHEVALIÈRE QUI RATTACHE LA MORT À NOTRE VIE ET NOTRE VIE À LA MORT SELON UN CYCLE IRRÉVERSIBLE.

JURONS DE NOUS UNIR EN OUVRANT LA MAIN DROITE DU CHRIST DÈS QU'UN DANGER MENACERA NOTRE ORDRE ET NOTRE SCIENCE. JURONS-NOUS UNE ÉTERNELLE FIDÉLITÉ POUR QUE PROGRESSE L'HUMANITÉ. TANT QUE LE SOLEIL SE LÈVERA À L'EST ET QU'IL SE COUCHERA À L'OUEST, AU-DELÀ DE LA MORT, NOUS RÉPONDRONS PRÉSENTS À L'APPEL DE NOS FRÈRES. JURONS !

NOUS LE JURONS !

45

AH, C'EST VOUS ! TOUT S'EST-IL BIEN PASSÉ ? ET... OÙ EST MONSEIGNEUR BUCELIN ?

REGARDE-MOI BIEN, L'ABBÉ.

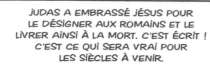
JUDAS A EMBRASSÉ JÉSUS POUR LE DÉSIGNER AUX ROMAINS ET LE LIVRER AINSI À LA MORT. C'EST ÉCRIT ! C'EST CE QUI SERA VRAI POUR LES SIÈCLES À VENIR.

LE LÉGAT ? OÙ EST-IL ? QU'EN AVEZ-VOUS FAIT ?

EMBRASSE-MOI ET MEURS AVEC LE BAISER FRATERNEL DE CEUX QUI SE SACRIFIENT POUR PRÉSERVER LE DOGME DE LA SAINTE ÉGLISE !

PAR PITIÉ, MESSIRE... JE SUIS DES VÔTRES ! CE LINGE SUR VOTRE ÉPAULE... OH, MON DIEU ! J'AI JURÉ ALLÉGEANCE AUX GARDIENS DU SANG !

OUI. MAIS TU AS VU MON VISAGE. ET CELUI QUI CROISE LE REGARD DE L'ANGE EXTERMINATEUR NE DOIT PLUS VIVRE !

VIERGE MARIE, VOUS ÊTES FOU !

EN EFFET... LE FOU DE DIEU !...

... SON BRAS DE JUSTICE !

46

JE SUIS HEUREUX DE CONSTATER QUE LA SANTÉ DU CHEVALIER BASILE N'A PAS EMPIRÉ AVEC LA NUIT... BIEN QUE CELLE-CI FUT NUIT DE CHAOS !

QUE VOULEZ-VOUS DIRE ? AVEZ-VOUS DÛ REPOUSSER QUELQUE COMBAT QUE NOUS N'AURIONS PAS ENTENDU ?

CERTES NON ! IL NE S'AGIT PAS DE L'ENCEINTE QUI NOUS ABRITE ; JE PARLE PLUTÔT D'ÉVÉNEMENTS QUI SE SONT PRODUITS DANS LES FAUBOURGS.

UN SOULÈVEMENT DE LA POPULACE ?

CE N'EST PAS CELA NON PLUS.

VOUS AIGUISEZ NOTRE CURIOSITÉ, SIRE....

DES LÉPREUX SONT VENUS NOUS RAPPORTER TRÈS TÔT CE MATIN CE À QUOI ILS AVAIENT ASSISTÉ, ET NOUS AVONS DÉPÊCHÉ UNE ESCOUADE DANS LEUR QUARTIER.

NOUS Y AVONS TROUVÉ LE CADAVRE DU CHEVALIER LONGMAUR AINSI QUE CEUX DE TROIS CROISÉS. POURSUIVANT NOS INVESTIGATIONS, NOUS AVONS AUSSI DÉCOUVERT QUELQUE CHOSE DE BIEN SURPRENANT...

OUI ?

UNE TOMBE ANTIQUE AVAIT ÉTÉ INCENDIÉE. ELLE S'EST EFFONDRÉE ALORS QUE NOS HOMMES ALLAIENT PÉNÉTRER À L'INTÉRIEUR, NOUS INTERDISANT DE LA FOUILLER. MAIS IL Y A AUTRE CHOSE ENCORE...

... MONSEIGNEUR BUCELIN, LE LÉGAT DU PAPE, A DISPARU ! ET L'UN DES ABBÉS ATTACHÉS À SA SUITE A ÉTÉ TROUVÉ TOUT À L'HEURE DANS SA CELLULE... LE CRÂNE FRACASSÉ !

LES LÉPREUX ONT DIT AVOIR VU DEUX HOMMES ENTRER DANS LA TOMBE DONT JE VOUS AI PARLÉ. UN SEUL EN EST RESSORTI !

UN ÉTRANGE MYSTÈRE, EN VÉRITÉ...

47

... OU SIMPLEMENT UNE SORDIDE AFFAIRE DE PILLAGE !

C'EST FORT POSSIBLE. LES PILLARDS NOUS CAUSENT SOUVENT GRANDS DOMMAGES. MAIS QUE PEUT-ON VOULOIR MARAUDER DANS UN ANCIEN CIMETIÈRE ?

OUI, COMTE ?

SIRE... JE VOULAIS VOUS DIRE...

QUOI ? QUE LES LÉPREUX QUI ONT ÉTÉ RÉVEILLÉS PAR DES COMBATS DANS LEUR RUE ONT VU SIX CHEVALIERS EN FUITE AUX PRISES AVEC TROIS CROISÉS ?

QU'ILS ONT PARTICULIÈREMENT REMARQUÉ L'UN D'EUX ! UN BRETTEUR ÉMÉRITE QUI MANIE L'ÉPÉE COMME NUL N'A JAMAIS SU LE FAIRE. C'EST DE CELA QUE VOUS VOULIEZ ME PARLER, COMTE ?

NON, SIRE, JE DÉSIRAIS DEMANDER VOTRE PROTECTION...

MES COMPAGNONS ET MOI AVONS L'INTENTION DE VOYAGER À TRAVERS LA PALESTINE, NOUS SOUHAITONS RETROUVER TOUS LES LIEUX QUE NOTRE SEIGNEUR JÉSUS-CHRIST À MARQUÉS DE SON EMPREINTE.

JE VOIS...

COMMENT REFUSER AU PUISSANT COMTE DE CHAMPAGNE ET À SES CHEVALIERS UNE ESCORTE POUR UN SI PIEUX PÈLERINAGE ? VOUS AUREZ CE QUE VOUS DEMANDEZ, HUGUES.

SOYEZ-EN LOUÉ, BAUDOUIN. VOUS POURREZ DÈS LORS ME CONSIDÉRER COMME L'UN DE VOS PLUS FIDÈLES VASSAUX.

JE VOUS ASSURE QUE LES GENS DE CHAMPAGNE VIENDRONT BIENTÔT EN GRAND NOMBRE VOUS SOUTENIR À JÉRUSALEM ET VOUS AIDER À DÉFENDRE LA SÉCURITÉ DES CROYANTS.

CE JOUR-LÀ, JE SERAI VOTRE DÉBITEUR, COMTE !

C'EST BIEN CE QUE TU DÉSIRAIS, DE PAYNS ? QUE NOUS NOUS ENGAGIONS EN TERRE SAINTE ?

C'EST CE QUE NOUS FERONS TANT QU'IL NOUS FAUDRA PRÉSERVER LE SECRET. NOUS Y INVESTIRONS TOUTES NOS FORCES ET TOUT NOTRE OR ! CAR NOUS SAVONS QUE NOUS NE MANQUERONS JAMAIS D'OR, N'EST-CE PAS, FRÈRE ?

ET NOUS SOMMES REMONTÉS SUR BETHLEHEM OÙ NAQUIRENT LES DEUX FRÈRES, JÉSUS ET THOMAS, DONT LA LÉGENDE DIT QU'ILS SORTIRENT ENLACÉS DU VENTRE DE MARIE...

PUIS NOUS AVONS POUSSÉ JUSQU'À LA PATRIE DE JOSEPH, ARIMATHEA, OÙ NOUS SOMMES DEMEURÉS UN LONG TEMPS À LA RECHERCHE D'ÉCRITS DE CELUI QUI ENSEVELIT THOMAS...

NOUS AVONS ENSUITE TRAVERSÉ LA SAMARIE POUR ATTEINDRE ENFIN LA GALILÉE... JE PENSE SANS CESSE À HÉLÈNE QUI M'ATTEND, JE NE POURRAI M'EMPÊCHER DE LUI RACONTER NOTRE AVENTURE. À ELLE, JE NE SAURAIS RIEN CACHER...

DE PAYNS ! JE NE VOUS AI PAS ENTENDU ENTRER... QUE JE SUIS HEUREUSE QUE VOUS AYEZ PU VENIR AUSSI VITE...

J'AI ACCOURU POUR ENTERRER UN AMI ET RÉCONFORTER SON ÉPOUSE, HÉLÈNE.

JE LISAIS LE JOURNAL D'ARCIS. J'AIMAIS UN HÉRÉTIQUE. JE L'AIMAIS AU-DELÀ DE TOUT ! MAIS PAR MA FOI, JE N'AI JAMAIS PARTAGÉ SA CROYANCE.

ALORS, VOUS SAVEZ...

NE CRAIGNEZ RIEN, J'AI CONSERVÉ LE SILENCE SUR SES... SUR VOS CONVICTIONS ! MAIS C'EST L'HOMME À LA HACHE QU'IL DÉCRIT DANS SON JOURNAL QUI L'A TUÉ, N'EST-CE PAS ?

ET QUI LUI A ENLEVÉ LA MAIN DROITE COMME VOTRE MESSAGE L'INDIQUAIT.

DONNEZ-MOI CES FEUILLES, HÉLÈNE.

49

51

ARCIS N'AURAIT JAMAIS DÛ ÉCRIRE CES MOTS, NI VOUS METTRE DANS LA CONFIDENCE. CERTAINS SECRETS, LORSQU'ILS SONT TRACÉS, CHEMINENT AVEC LES MAUVAIS VENTS.

J'ÉTAIS SA FEMME BIEN-AIMÉE, DE PAYNS.

JUSTEMENT ! IL EUT ÉTÉ PRÉFÉRABLE DE VOUS LAISSER EN DEHORS DE CETTE AFFAIRE.

ENTREZ, MES AMIS... VOUS VOYEZ : DE PAYNS VOUS A DEVANCÉS DE QUELQUES HEURES ET M'AIDE DÉJÀ À SUPPORTER MA PEINE.

NOUS PARTAGEONS VOTRE CHAGRIN, DAME HÉLÈNE. ET VOTRE COLÈRE, SANS DOUTE !

50

MISERICORDIA DOMINI PLENA EST TERRA.

VENGEANCE... VENGEANCE POUR ARCÍS !

NOUS LE VENGERONS, BASILE.

CERTES ! MAIS COMMENT COMBATTRE UNE OMBRE ? L'HOMME À LA HACHE LIT DANS NOS PROPRES PENSÉES, IL CONNAÎT NOTRE SERMENT COMME S'IL L'AVAIT PRONONCÉ AVEC NOUS...

ET SOMMES-NOUS CERTAINS QU'IL AGIT BIEN POUR LES GARDIENS DU SANG ET NON POUR SON COMPTE PERSONNEL ?

NON, JE CROIS QU'UNE PARTIE DE L'ÉGLISE EST DERRIÈRE LUI. LE PAPE EST CERTAINEMENT MANIPULÉ.

GLORIA PATRI ! MISERICORDIA DOMINI !

IGNE NATURA RENOVATUR INTEGRA !

QU'INRI NOUS ILLUMINE ET ACCUEILLE NOTRE FRÈRE ARCÍS DANS LA LUMIÈRE DU PREMIER !

LA MORT N'EST PAS LA MORT.

ET LA TERRE N'EST PAS LA TOMBE !

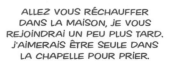

VENEZ, HÉLÈNE...
RENTRONS.

ALLEZ VOUS RÉCHAUFFER
DANS LA MAISON, JE VOUS
REJOINDRAI UN PEU PLUS TARD.
J'AIMERAIS ÊTRE SEULE DANS
LA CHAPELLE POUR PRIER.

CONFESSEZ-MOI, MON PÈRE,
CAR J'ÉPROUVE UN GRAND
BESOIN DE CONTRITION ET
DE REPENTANCE EN CE
JOUR DE DEUIL.

UNE PURE
INTENTION QUE
CELLE QUI IMPOSE
LA LÉGÈRETÉ DE
L'ÂME EN DE
PAREILS MOMENTS.

JE ME SENS TOUJOURS
MIEUX APRÈS M'ÊTRE CONFESSÉE.
VOUS M'AVEZ TANT SOUTENUE
DANS MA FOI ! MON CŒUR
AURAIT EXPLOSÉ DEPUIS LONGTEMPS
SI JE N'AVAIS PU VOUS PARLER
DANS LE SECRET INVIOLABLE
DE CE SACREMENT.

52

JE COMPRENDS, HÉLÈNE. SEUL DIEU ÉCOUTE CE QUI EST PRONONCÉ ICI. PARLEZ... CONFIEZ-VOUS À LUI ET VOUS SEREZ DÉLIVRÉE.

IL NOUS FAUDRA BIENTÔT PRENDRE LES DISPOSITIONS QUE NOUS AVONS DÉJÀ ÉVOQUÉES AU SUJET DU TOMBEAU DE JÉSUS. LES GARDIENS DU SANG NE SE CONTENTERONT PAS DE CHERCHER À NOUS REPRENDRE LES SAINTS SIGNES...

ILS VOUDRONT S'ASSURER QUE LE MIRACLE S'EST BIEN PRODUIT !

OUI, LA SEULE ET UNIQUE FOIS OÙ LE MIRACLE A ÉTÉ TENTÉ ET RÉALISÉ. PAR JÉSUS, NOTRE FRÈRE D'ENTRE LES MORTS...

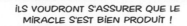

AVEZ-VOUS APPRIS DU NOUVEAU DES LÈVRES DE LA VEUVE ?

NON, MESSIRE. RIEN DE PLUS PAR RAPPORT À SA DERNIÈRE CONFESSION.

CONVARD + FALQUE

ALORS JE REVIENDRAI... MAIS JE SAIS LE PRINCIPAL ET CELA GRÂCE À VOUS. LES GARDIENS DU SANG POSSÈDENT MAINTENANT UN DOIGT DE LA MAIN DROITE DU CHRIST !

53

L'ABBÉ A ENFREINT LE SECRET DE LA CONFESSION POUR SOUTIRER DES INFORMATIONS SUR LES CHAMPENOIS ?

OUI, ROZZERO. LA GUERRE ÉTAIT DÉCLARÉE ENTRE LES GARDIENS DU SANG ET LA LOGE PREMIÈRE...

LE SACREMENT DE LA CONFESSION A EN EFFET ÉTÉ VIOLÉ, À MAINTES REPRISES ! L'HOMME À LA HACHE CONNAISSAIT TOUT D'ARCIS DE BRIENNE ET AINSI, IL EN APPRENAIT BEAUCOUP SUR LES QUATRE AUTRES CHAMPENOIS.

QUEL SACRILÈGE, MONTESPA ! QUEL SACRILÈGE !

PLUS HÉLÈNE PARLAIT, ET PLUS VITE LES GARDIENS DU SANG PROGRESSAIENT DANS LEUR COMBAT CONTRE LES PREMIERS, IMPOSANT AINSI AUX CHRÉTIENS LA VERSION OFFICIELLE DU DOGME FONDATEUR DE LA FOI.

JUSQU'À FAIRE DU LINCEUL DE THOMAS LE SAINT SUAIRE DU CHRIST !

UNE RÉALITÉ, MON AMI ! CE LINGE NE DATE-T-IL PAS DE LA PREMIÈRE MOITIÉ DU PREMIER SIÈCLE DE NOTRE ÈRE ? N'EST-IL PAS TACHÉ DE SANG À L'EMPLACEMENT DES CHEVILLES ET DES POIGNETS ? N'A-T-IL PAS, DEPUIS, ÉTÉ AUTHENTIFIÉ ?

LA PLUS VULGAIRE DES ICÔNES, LA PLUS IMPIE DES IMAGES NE DEVIENT SAINTE QUE PAR LA VOLONTÉ DES FIDÈLES...

J'AI BIEN SUIVI LE RÉCIT QUE VOUS M'AVEZ FAIT, MONSEIGNEUR.

ET, DANS LE LABORATOIRE DE MACCHI, J'AI VU COMME VOUS LE CADAVRE DU CHRIST... QUI... QUI REFUSE LA MORT !

VOUS AVEZ COMPRIS.

JÉSUS EST EN TRAIN DE RESSUSCITER ! IL... IL N'A JAMAIS CESSÉ DE LE FAIRE EN UN PROCESSUS EFFROYABLEMENT LENT MAIS INÉLUCTABLE ! IL RESSUSCITE DEPUIS QU'IL A ÉTÉ PORTÉ EN TERRE DANS LA FORÊT D'ORIENT...

EN EFFET, ROZERRO.

L'ALCHIMISTE JÉSUS A VAINCU LES LOIS DE LA MORT ET IL CHERCHE À REPRENDRE SA PLACE PARMI NOUS. PARMI SES SEMBLABLES... PARMI CEUX QU'IL CROIT ÊTRE SES FRÈRES. C'EST-À-DIRE LES HOMMES !

MAIS... MON DIEU...

MON DIEU... QU'ALLONS-NOUS FAIRE DE LUI ?

JE L'IGNORE, ROZERRO... JÉSUS N'EST-IL PAS SORTI DE TERRE POUR PRÉTENDRE AU TRÔNE QUI LUI EST DÛ ? À CELUI DE PAPE...

FIN DU PREMIER VERSET.
PROCHAIN VERSET : LA LISTE ROUGE.

Le saint suaire n'a pas fini de livrer ses secrets

LE **LINCEUL**

LAURENT BIDOT

Glénat
www.glenat.com

TOME 4 EN LIBRAIRIE LE 17 MAI 2006

LE PASSÉ TOURMENTÉ
DU PLUS ÉQUIVOQUE DES PERSONNAGES
DU TRIANGLE SECRET

HERTZ

DIDIER CONVARD   ANDRÉ JUILLARD   DENIS FALQUE

 metr BoDoï **Glénat**
www.glenat.com **[dBD]** **Le Point**

TOME 1 EN LIBRAIRIE LE 30 AOÛT 2006

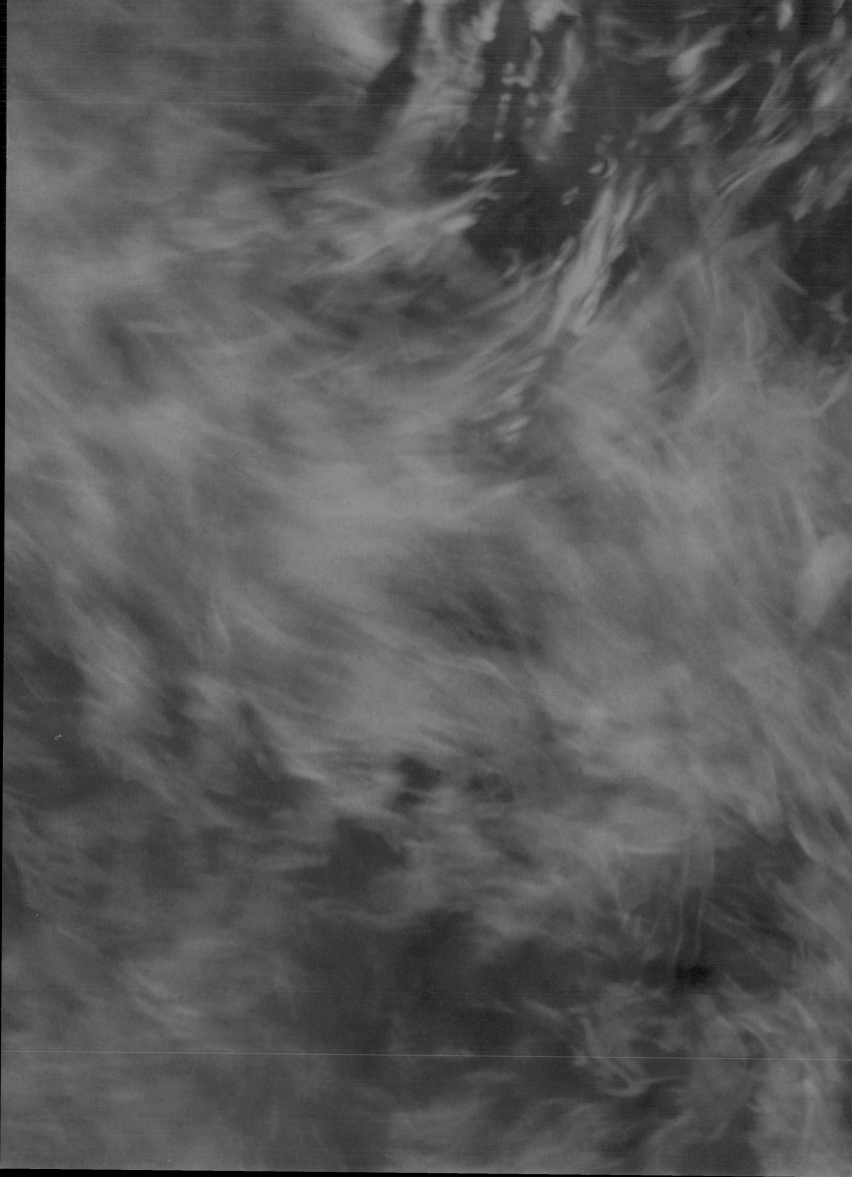